UNIV

th
bre
pe

QP K!

QUAI DE VILLE NEUVE

IL A ETE TIRE DE CET OU-
VRAGE 600 EXEMPLAIRES SUR
VELIN BOUFFANT, SORTIS DES
PRESSES DE L'IMPRIMERIE
CH. CORLET, A CONDE-SUR-
NOIREAU, QUI CONSTITUENT LA
PRESENTE EDITION ORIGINALE.

CLAUDE COTTI

PRESIDENT DE LA SOCIETE ACADEMIQUE
DES ARTS LIBERAUX DE PARIS

QUAI
DE VILLE NEUVE

POÈMES

**SOCIETE ACADEMIQUE DES ARTS LIBERAUX
DE PARIS**
MCMLXXVII

AVERTISSEMENTS

1° PROPRIETE - L'Association garantit par ses Statuts à tous ses membres la libre disposition des œuvres qu'elle publie. Ceux-ci déclarent accepter les conditions de l'Association, lui donner leur autorisation de reproduction dans sa collection et la garantir contre tout recours de ce fait, même en cas d'appel en garantie et de pluralité de demandeurs, si les auteurs se sont dessaisis des droits sur les œuvres publiées ici, que l'Association ne saurait revendiquer. Seuls les membres de l'Association peuvent être publiés par elle.

2° COMPETENCE - Les personnes dont le nom, après avoir figuré sur les listes publiées dans les précédentes publications, ne figure plus dans le présent volume, ne peuvent ignorer qu'elles ont, par leur silence, abandonné l'Association. Tout usage de leur nom les présentant comme membres actuels de l'Association n'est pas conforme à la définition de la délicatesse pratiquée par les membres et, en cas de refus de rectification et de cessation de cet usage, expose à tout recours de droit, aucune dérogation antérieure de fait ne pouvant faire novation.

3° USAGE - L'Association n'accorde son patronage à aucun envoi systématique à ses membres de bulletins de souscription, d'abonnement, de participation, d'admission et autres demandes d'argent au profit ou en faveur de tiers, même membres de l'Association. Les demandes de l'Association doivent émaner du Président, et avoir pour seul but de faire connaître l'œuvre ou d'honorer la personne des membres. Conformément aux Statuts, le Président ne peut déléguer ses pouvoirs qu'à la Secrétaire Générale et au Trésorier Général.

4° RECRUTEMENT - Toute personne qui se croit un talent d'écrivain ou d'artiste peut adresser une demande au Président, qui examinera l'œuvre ainsi soumise avec compréhension et discrétion. *Quoique sans obligation de périodicité, l'appartenance à l'Association est réservée à ceux qui ont publié dans sa Collection ou qui ont des intentions précises de le faire.*

Tous droits de traduction, d'adaptation et de reproduction réservés pour tous pays.

© *CLAUDE COTTI, 1977*

ISBN 2-85305-056-4

SOCIETE ACADEMIQUE DES ARTS LIBERAUX DE PARIS

Association culturelle sans but lucratif
Déclarée à la Préfecture de Police de Paris sous le n° 62/1160

Editeur ISBN 85305

« Le Panoramique », 3, avenue Chanzy
94210 La Varenne-Saint-Hilaire
(Commune de Saint-Maur-des-Fossés, Val-de-Marne, France)
Téléphone : Paris (1) 283-36-03

COMITE CENTRAL

PROMOTEUR :
Claude COTTI, Président

ADMINISTRATEUR :
Alice COTTI, Secrétaire Générale

CONSEILLER ARTISTIQUE :
Comtesse Rosa-Maria DONATO DI TRISCELON
Déléguée à Rome

CONSEILLER LITTERAIRE :
Maître Lilia-Aparecida PEREIRA DA SILVA
Déléguée à Sao Paulo

Ouvrages préfacés par CLAUDE COTTI

ALICE COTTI

Sans perdre mon Latin, Illustrations de Claude Cotti.
ISBN 2-85305-021-1
Nouvelles du Pays, Illustrations de Claude Cotti.
ISBN 2-85305-022-X
Poing à la Ligne, Illustrations de Claude Cotti.
ISBN 2-85305-023-8
Et pourtant elle tourne, Illustrations de Claude Cotti,
de Rosa-Maria Donato et de Lilia-A. Pereira da Silva
ISBN 2-85305-055-6

LILIA-A. PEREIRA DA SILVA

Fleurs de Lilia, Illustrations et Adaptation de Claude Cotti.
ISBN 2-85305-025-4

ROSA-MARIA DONATO

Palette Calabraise, Illustrations de l'auteur.
ISBN 2-85305-026-2

ANTHOLOGIE DES SOCIETAIRES

Avec tous les Membres du Comité Central
ISBN 2-85305-024-6
FR ISSN 0081-072X

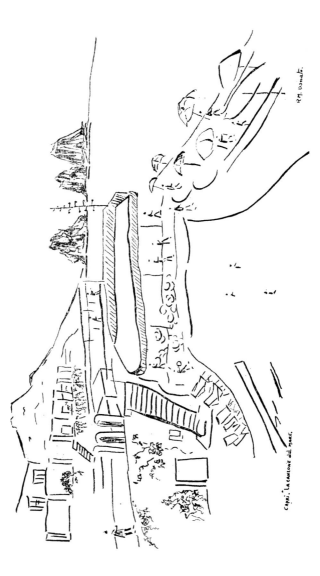

Capri. "La canzone del mare."

R.M. Damato

PREFACE
DE L'AUTEUR

« *Jusqu'à la détresse, au milieu d'un monde indifférent* »,
par Lilia-A. Pereira da Silva

PREFACE

C'est toujours avec la même émotion, la même joie, la même confiance, que je vois paraître un volume de mes œuvres, qu'il soit en vers classiques ou en prose, d'adaptation ou d'illustrations, qu'il soit le premier ou le trentième de mes ouvrages parus, oui, avec les mêmes sentiments, depuis plus d'un quart de siècle, la moitié de ma vie, en fait toute ma vie. Pourtant, les épreuves, la maladie, l'infirmité, les deuils, ne m'ont pas épargné, et je suis parfois déscendu jusqu'à la détresse, au milieu d'un monde indifférent, soutenu seulement par ma mère et entouré de peu d'amis indéfectibles, moins qu'il y a de doigts dans la main, mais toujours la poésie, ma poésie, a été pour moi le réconfort qui m'a permis de dominer l'angoisse, la souffrance, la malchance, réconfort que je n'ai pas su chercher, ni trouver, dans l'exercice d'une religion ou le militantisme social ou politique. Non, cela ne m'a pas tenté, après tant de voyages pour m'informer, pour saisir la vie, et n'étant plus ingambe, je suis devenu un

*homme de cabinet, sans être le théoricien d'une doctrine pro-
posée à l'adhésion des passants. Je suis resté fidèle à la tech-
nique poétique de mes débuts, le vers classique français, et
je ne comprends pas l'ostracisme que cette attitude provoque
au nom de la mode de la part des mirlitonneurs, alors que
je ne m'occupe pas d'eux, et que la correspondance que je re-
çois du monde entier prouve à quel point l'ensemble des mi-
lieux cultivés, et particulièrement les universités étrangères,
reconnaît la valeur et l'actualité de cette expression pour la
langue française, dont elle est le vivant support et la vraie
originalité.*

*Car tout art demande une discipline, que le créateur
s'impose à lui-même, pour mériter d'être face au public, qui
est composé plus souvent qu'il ne l'imagine de gens qui le
valent bien, mais qui n'ont pas cultivé son mode d'expression,
qui fait la différence, à condition qu'il existe et soit valable.
Ecrire pour la mode est pauvre chose, c'est bâtir pour le sno-
bisme éphémère du moment, alors que le poète, l'artiste, le
créateur, doit bâtir pour l'éternité et posséder en soi l'originalité que confère le talent, ce qui permet de faire évoluer
l'outil d'expression sans le démanteler. Le style, c'est l'homme
même, a dit Buffon. De tout temps, il y a eu des vers libris-
tes, sans pour cela qu'ils insultent forcément les tenants de
la poésie de forme régulière, et des artistes abstraits, face
de même aux figuratifs. A quoi bon la haine ? Elle n'est pas
un moyen d'expression, ni un mode d'intelligence. Pas plus
que l'indifférence et le mépris. Ce qui compte c'est le talent
du créateur, sa capacité à ne pas copier ses maîtres, pour
faire œuvre originale tout en définissant son courant. Il n'est*

pas vrai que le vers classique ne peut plus évoluer de style et qu'il représente le passé : tant pis pour ceux qui s'en servent ainsi. La littérature latine vivante est morte à la Révolution française, et non sous l'Empereur Justinien, fossoyeur des Jeux Olympiques antiques.

Si la Grèce fut notre patrie d'origine, pour la Pensée comme pour le Sport, ce n'est pas par hasard s'ils se développèrent au même endroit, mais parce qu'ils sont les deux expressions complémentaires de l'Intelligence, dans sa manifestation la plus achevée, et s'il est vrai que le Sport sombra dans les jeux sanglants du cirque avant de disparaître, il est normal que la Pensée l'ait ressuscité à notre époque : c'est donc une grande époque, qui va peut-être disparaître avec les guerres mondiales, car nous sommes une fin de race, mais que d'autres peuples, des peuples nouveaux à naître, connaîtrons un jour comme la recherche émouvante d'un lointain passé vers un avenir devenu présent. Qu'est l'intimidation de certains mirlitonneurs qui se croient triomphants contre la beauté de la forme classique issue de la structure de la langue même, face à l'idéal et au devoir que représente cet avenir vis-à-vis de la postérité ? C'est à chacu de nous d'y penser, et aux créateurs de le dire ; car aucun Etat ne peut assurer le bonheur, surtout le bonheur individuel, but de la vie malgré des doctrines qui parlent d'autre chose, ce n'est pas son but, quoi que d'aucuns en prétendent, pas plus, de même qu'aucun homme d'Etat, qui n'est pas un auteur, un créateur, un démiurge, même s'il le croit parfois et si on le lui dit, ne peut imposer le triomphe effectif et définitif dans les faits et sur les consciences d'une doctrine, philosophique, religieuse, politique, sociale, ou autre, même au moyen d'interdits scientifiques ou artistiques. Non, ce but-là, qui est bien le but suprême, être heureux et avoir une pensée élevée, digne d'un homme, ne peut être atteint, il peut seulement être tenté dans l'idéation de créateurs féconds, comme le furent les humanistes de la Renaissance, à condition d'être tolérant et de définir une attitude vers un homme nouveau comme un effort, une étape possible vers le beau éternel, qui contient tout, et se mérite, mais ne s'impose pas, sinon il n'est qu'une caricature de lui-même, une police de la pensée et non une discipline de l'esprit.

Ceux qui se mettent en dehors doivent toujours avoir le droit de sombrer, de se renouveler, de triompher ou d'y croire, et le destin parlera ; après quoi, la postérité fera justice, en accordant son oubli, sa pitié ou sa réhabilitation, mais ceux qui auront triomphé d'abord, malgré l'appui de leurs contemporains, seront devant un tribunal jugés aussi certain jour, et pas forcément comme ils le croyaient. Là, nul appui, nul piston, nulle combine, nulle chapelle, nulle école, ne jouera plus, des coudes ou autrement : ce sera vrai comme la Némésis, cette déesse de la veangeance, qui seule mangeait froid au banquet des dieux. Qui a méprisé sera méprisé, sinon il ne peut espérer que l'indulgence, ce qui est dur pour l'orgueil. Tout ce qui est haineux est sans importance. L'apriorisme n'a rien dit. Nos adversaires croient nous réfuter quand ils répètent leurs arguments sans tenir compte des nôtres ; que n'eussent-ils conservé deux gouttes de pitié dans le cœur, afin qu'il leur restât cette poire pour la soif, dans le désert qu'ils ont créé au nom de l'impunité. C'est possible que ma voix crie dans le désert, même si je crois que j'ai du talent, même si on me le dit, même si c'est vrai, mais à ceux qui ne veulent pas que ma voix s'entende, et qui me traitent d'inconnu parce que c'est plus simple que de me reconnaître, je pardonne ce qu'ils ont fait, qui ne fait finalement de mal qu'à eux-mêmes face à l'éternité du temps, en ne leur permettant pas d'avoir une pensée élevée, ce qui est leur vraie punition, oui, je pardonne à mes ennemis ce qu'ils ne pardonnent pas, le crime d'être venu au monde sans penser comme eux, car je sais que tout cela est emporté sur le tourbillon d'une galaxie qui en fera justice en détruisant tout, les petitesses, pour en faire la matière d'où l'embryon primitif, le Beau, jaillira, en un hommage de plus vers l'Intelligence, qui ne peut croire que la sincérité pure soit totalement sans valeur, et qui ne pense pas que le fait d'être dans la charité comme on est dans la moutarde soit une forme de bonté vraie, face à la barbarie sous toutes ses formes, qui trace dans la matière brute les durs sillons de souffrance par où doit s'élever l'humanité pour se contempler en elle-même, non comme l'idole des constructeurs de remparts, mais comme la déité du progrès, de l'amour et du bonheur en soi.

Claude COTTI

Un hommage de plus vers l'intelligence

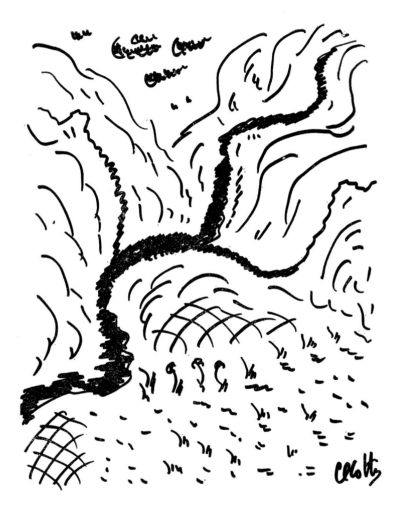

L'idole des constructeurs de remparts

QUAI DE VILLE NEUVE

POEMES

L'amertume à tuer l'amour

I

J'ai vécu comme un enfant cynique,
Sans jamais vouloir faire de politique,
Et toujours j'ai senti le désir,
Qui gâtait la joie, et narguait le plaisir,
Oui, toujours se plaisait l'amertume
A tuer l'amour au nom d'une coutume,
Que je hais, mais dont j'ai tant souffert,
Quand le gai printemps simplement m'est offert,
Et ma lyre, en un rythme bizarre,
Fomente à mon cœur la sensation rare,
Bel iambe est clairon un peu las,
Ma rythmique à moi naît plus forte qu'un glas,
Comme l'arc que bandait seul Ulysse,
Il faut de l'adresse à qui veut qu'elle glisse,
Et l'audace avec une vigueur,
Qui dit au passant : « Courbe ! ou garde ta peur,
Car mon geste ignore la courette,
Loin de la sentine, et loin de la courbette,
Qui recourbe un dos qui ne sait pas

Se dresser soudain pour dominer les pas,
Des marchands d'amour dans l'avenue,
Qui mène à la faim de gloire convenue.»
Le respect du lecteur le plus fort,
Force mon talent à l'ombre du vieux fort,
Pour le mot, et non pour l'apostrophe,
Pour la poésie, et non pour une strophe,
Et je vais, tel un enfant perdu,
Tenter l'aventure, et dire au sort son dû,
Jeune encor, je n'étais pas très sage,
Plus tard je cherchai la chaleur du corsage,
J'ai trouvé des seins durs, des seins mous,
Mais le monde las n'a perdu de remous,
N'a perdu de bourreau ni de prêtre,
De vice caché, de sourire, et de reître,
C'est pourquoi je pars. Venez. L'émoi
Sera votre fait, et le reste de moi.

II

Par-delà l'océan, loin de la vapeur morne
Qui masque le destin au coin du boulevard,
L'horizon nébuleux ne connaît pas de borne,
Au fond du cœur humain où l'espoir est bavard,
C'est en vain qu'au brouillard trop savamment l'on corne,
Et qu'à la peur soudain l'audace se suborne,
Tout ne s'absorbe pas comme fait le buvard.

L'homme, quoi qu'on en dise, est ce qui mal résigne,
De nature, le chant de la ferveur insigne,
Il attend l'univers, il attend quelque signe,
  Pour découvrir son vrai destin,
Et pour cela l'amour du hasard l'importune,
Il veut l'argument vrai, l'orgueil de la fortune,
  Comme un dieu fier de son matin.

  Ce n'est pas un menu fretin,
Qu'un homme enfin marqué de la force opportune.

III

Pour l'enfant qu'on va perdre, et pour l'enfant perdu,
Je chante encor l'espoir de défouler sur l'herbe
La pauvre joie obscure en l'univers acerbe
Fait de pierre gélive et fait de cœur fendu.

La larme au pli rebelle est partout l'invendu
De la misère douce à ceux qui font le verbe,
Et qui croient que leur geste est la forme superbe
Où se jette le pauvre au rictus éperdu.

Non ! Il n'est pas toujours besoin d'une colère
Pour dire non, tout net, aux puissants de la terre,
Car si l'on est soi-même un mince scélérat,

La minceur du destin fait de l'autre un novice,
Qui croit que son bon Dieu le créa d'abord, rat,
Pour contempler le trou de son petit sévice.

IV

J'ai chanté l'Occident et l'Orient profond,
Les minarets jaloux des splendeurs du prophète,
Et les stupas craintifs où l'ombre se morfond,
Près des arbres géants, verdâtres pour la fête
De la vie, arbustive en son geste moqueur
De festons surmontant l'âpre palais vainqueur
De la jungle perfide à l'ancien chroniqueur,
Qui voyageait parfois d'un pamphlet chrysogomphe,
Pour redire l'espoir, pour redire l'amour,
La sagesse des Rois à l'immortel humour
Des Tage ou bien des Po jusqu'aux mortels Amour,
Fleuves dont le nom propre a vaincu le triomphe.

Oui, l'Occident sublime a tout autant de fond
Que l'Orient furtif en son bizarre faite,
Il n'est de chef maussade en l'immortel plafond
Qui ne sache régner, de l'archonte au suffète,
Des mandarins secrets aux ulémas, en chœur,

Pour vaincre de l'humain la sordide liqueur,
Pour prêcher la vertu, pour désigner le cœur
Comme organe vivant dont l'ordre n'est agomphe,
Mais il faut regretter, si même l'on est pour,
Tant d'ombre, de regret, et d'inhumain détour,
Pour tarir les élans des vices sans contour,
Fleuves dont le nom propre a vaincu le triomphe.

Pourtant, c'est l'espérance où baptisent nos fonts,
L'hypocrisie ardente, aimable au doux poète,
Oui, c'est le souvenir du primitif tréfonds,
Qui pousse le destin, malgré sa pirouette,
Vers le savoir, qui seul, apporte sa fraîcheur
Au monde de bourreaux qui se veut bien pêcheur,
En cherchant pour autrui d'être surtout prêcheur,
Plutôt que le fauché, quand la vapeur du gromphe
Noie un champ épandu quand s'efface nos jours,
Quand nous ne savons plus conserver nos séjours
Pour le dieu qui s'apaise et pour Satan toujours,
Fleuves dont le nom propre a vaincu le triomphe.

Envoi

Voyageur que ne pique un moustique ou le gomphe,
Cherche où furent Angkor, Harappa, sans tambours,
Chichen Itza, bref, tout ce qu'ont meurtri pandours,
Mais ne croit pas saisir les pleurs des troubadours,
Fleuves dont le nom propre a vaincu le triomphe.

V

Le pâle souvenir d'un autrefois craintif,
Embrumant l'esprit lourd qui fomente légende,
D'un rêve mordoré sublime la provende
Du conteur ingénu dans son cri primitif.

Et l'Histoire s'efface en un sanglot furtif,
Dont le passé haineux semble meubler la lande
De petits dieux moqueurs qui s'enfoncent par bande
Au coin bleu de Mémoire, en un dogme instinctif.

Mais déjà l'avenir entend le vers qui chante
Du barde convaincu que la raison le hante,
En son rythme vainqueur du Temps, mort au destin

De Chronos, que remonte un prophète qui tente
De se croire le vrai, de se croire au matin
Du souvenir humide où la mère souffrante

Donne un fils au croyant, au pauvre homme sa rente
D'espérance sordide, ou bien de foi mourante,
Pour un nouveau départ en son mythe enfantin.

VI

La mer était très belle au premier jour du monde,
Elle portait la vie à l'univers en faims
Des devenirs obscurs sur la plage trop blonde,
Quand le marais s'efface en terre de confins,
Et que la branche alors, timidement s'émonde,
Issante en l'algue glauque au ressac machinal,
Comme un blason qu'on monte à l'appel matinal,
Pour étonner l'amour et la planète, ronde
D'avoir tant attendu sous la pluie et l'enfer
Qu'un rire simplement recule un peu le fer,
Le feu, trop pleins d'ardeurs de la genèse immonde,
Où l'orage éteignait la joie en son courroux,
Mais cela n'était rien qu'une petite bonde,
Si s'apaise au printemps la menace au cœur roux.

Et déjà l'on se dévergonde
Pour un espoir qui vagabonde.

Cependant l'horizon menaçait la seconde,
De n'être pas le temps de courage advenu,

De rester trop furtive au creux même de l'onde,
Quand la vague débarque un grouillement tout nu
De palmes, devenant pattes pour que l'on fonde
La terrestre amertume et son frisson d'amour,
Le rempart qui s'élève en un cri sans humour,
Pour le vieux patriarche au refrain du tambour,
Cependant qu'un déluge espère en l'eau profonde,
Pour revenir encore au marécage obscur,
Qui menace soudain les ziggurats d'Assur,
Dont l'ombre formidable est un abri peu sûr,
Mais qui redit l'espoir afin que l'on refonde
Le creuset merveilleux où l'aile prend l'azur.

VII

Comme l'assaut final des trois cents spartiates,
La vie a gravi le talus,
Des eaux elle sortit pour recouvrir nos hâtes,
Pour claironner sur nos saluts,
Celui du dieu de l'âme et celui de la brute,
De l'avenir sorti des trous,
Comme l'œil tout sanglant de la bête hirsute,
Au cou mafflu sous le poil roux,
Et c'est ainsi que l'homme, en ce monde féroce,
Devint frisé comme un mouton,
Il prépara l'amour comme un repas de noce,
Plus de gigot que miroton,
Affina la déesse en son temple trop morne,
Qui n'était que mère en son sein,
Pour en faire l'amante et non plus maritorne,
En un plus aimable dessein,
Pour lui donner la force il la fit chasseresse,
Inventant l'antique carquois,
Elle devint plaisir et non plus pécheresse,

Sauf peut-être pour l'iroquois,
Et fut domestiquée un peu mieux par le mâle
Que la bête au grognement sourd,
Car, n'étant plus la Mère, une ardeur animale
Se tendait vers son téton lourd,
Avant que par l'enfant elle ne devint reine
Du matriarcat primitif,
Mais, sa défaite admise, on lui laissa sa traîne
En aimable palliatif,
Puis, le fer et l'airain purent enfin confondre
Leur fracas qui glace le cœur,
Dans la paix seulement on pouvait le voir fondre,
Au foyer rougi du vainqueur,
C'est ainsi qu'au printemps la terre civilise
Le bras sortit des océans,
Pour dresser la muraille où le roseau s'enlise,
Quand nous nous sentons bien céans.

VIII

Et j'ai revu la vieille maison basse
De mon enfance ignorante au regret,
J'ai vu passer l'orgueil au goût discret
    De jeunesse un peu lasse.

C'est ma grand-mère au sourire d'antan
Comme on faisait propre devant la porte,
Que je revois, quand le rêve m'emporte
    Au refrain du vieil an.

C'était la fête, ô modeste ripaille,
Le plat solide, et l'on en reprenait,
Au souvenir tout le monde renaît,
    Dans l'odeur de la paille.

Plus tard, la vie a dispersé l'amour
De la maison, ô vertu de famille,
Il n'est plus temps d'émonder la charmille,
    Le bosquet noir d'humour.

La ville grise a tué l'indolence
Du sentiment qui faisait le bonheur,
Le dieu rustique avait trop peu d'honneur,
    Mais pas d'indifférence.

Car le voisin, qui n'est plus qu'un passant,
Ne passe là qu'en troupe inamicale,
Il est fini le temps de cavalcade,
    De l'amitié naissant.

On plante un clou, comme on lance menace,
Sans voir l'ami dans l'autre qui s'en va
Sans un regret, où l'appel le riva
    Pour tenir une place.

Plus de recherche et plus de désir vain,
L'enfant se tait s'il a reçu taloches,
En sifflotant, le monde fait les poches,
    Sans trouver de levain.

Il faudra bien, malgré tant d'amertume,
Qu'une autre race apaise l'avenir,
Qu'une maison puisse enfin réunir
    Les enfants de la brume.

Oui, ma jeunesse est un temps périmé,
Celle d'autrui n'est qu'un temps qui s'effrite,
Une guinguette, et son odeur de frite,
    Faisait un monde aimé.

IX

Fier comme aurochs en sa plainte,
Il fonçait, le bon géant,
La masse levée et ceinte
D'aspérités, pour la crainte
Du sauvage sans contrainte,
Masse d'arme assurément,
Qui n'en a fuit l'ombre éteinte.

Pour la furtive complainte,
Il massacra sans tourment
Le méchant, qu'un mal éreinte,
S'il veut la colère sainte,
Pour satisfaire sa feinte,
Quand le courage ne ment,
Qui n'en a fuit l'ombre éteinte.

Gilgamesh ! Hercule ? Enceinte,
Qui perces le firmament,

Redis-moi la folle empreinte
Du chef fameux qu'on emprunte,
Tel Nemrod, qu'hallali tinte,
Au cri d'un conte sanglant,
Qui n'en a fuit l'ombre éteinte.

Envoi

Erèbe, que noirceur teinte,
Oublie où craque la plinthe,
Notre passé meurt, trop lent,
Qui n'en a fuit l'ombre éteinte.

X

Jours heureux du souvenir
N'oubliez pas la jeunesse,
Elle est jeune sans détresse,
Laissez-lui son avenir.

L'Amour peut toujours venir,
Sans les vieux dieux de la Grèce,
Jours heureux du souvenir,
N'oubliez pas la jeunesse.

L'amertume pour honnir,
C'est trop pour une tristesse,
Le rire joue, et la tresse
Flotte au vent qui sait unir,
Jours heureux du souvenir !

N'oubliez pas la jeunesse !

XI

Quand vers le ciel s'en va l'espoir
De l'homme vulnérable,
Il remonte au printemps pour voir
Sa grandeur véritable,
Et c'est ainsi que le savant
Des nébuleuses prend le vent.

Le tourbillon sacré s'enroule
Comme écharpe au dieu mort,
Pour renaître au matin de houle
Codifier le sort,
Quand la jambe qui ploie est lasse
De l'humilité, cette impasse.

Toujours la science au frisson
Du dogme, bientôt prête,
S'efface au bourreau, sans façon,
Sur la place, et la quête
Recommence, ainsi que le veut
L'amour de Tristan pour Yseut.

Car il faut que l'audace accepte
La nouveauté, ce rut
Qui brise la terreur inepte
De l'erreur, où ne bat
Que le satan de foi rebelle,
Qui parfois se montre trop belle.

Mais le Maître n'a pas tout dit,
Il faut chercher encore,
Malgré le supplice maudit
Qu'ensanglante l'aurore,
Et c'est pourquoi, s'il faut créer,
Laissons après tout maugréer.

Ainsi s'en va l'indifférence
Que menace l'appel
De lois qui n'entrent pas en transe,
Au rythme universel,
La recherche est vraiment prière
Face au ciel ! Qu'on rame, trière !

Et le dieu jaloux fait litière...

XII

Je suis l'enfant surpris où se monte Babel,
Le roi de l'inconnu sur la montagne ardente,
Dont le rictus obscur, de ferveur irrédente,
Appelle un Mont Sacré, pour Caïn, pour Abel.

Plus le cri du Maudit, le cri de Jézabel
N'active de sanglot profond comme un andante,
Plus ne perce un regret dont se tordait le Dante,
Mais rougit le bûcher de Philippe le Bel.

Certe, il nomme un sursaut dont se meurt le vieux Temple,
Pour qu'au flux d'Occident un désir le contemple,
Mais l'étoile du Juif fait sa gloire et son nom,

Mieux qu'un prophète doux monté sur un ânon
N'apaisa l'Orient par un trop court exemple,
Et l'esprit Renaissant par Réforme dit non.

O, de Jérusalem, la ferveur est trop ample.

XIII

J'ai revu le printemps, j'ai revu le Soleil,
  Dont le char sertit le triomphe,
Et j'ai saisi l'Amour au frisson nonpareil,
  Dans sa nudité chrysogomphe.

C'était tout l'hallali de la chasse au cœur mûr,
  Quand tombe le vieux Saint Christophe,
Qui protège la Course où s'écrase le mur
  De politesse dite en strophe.

Comme le vêtement s'en va le baise-main,
  Le dieu nu porte la massue,
  Et l'homme qui s'élance et sue
N'attend plus le plaisir, n'attend plus à demain.

Le respect, qui se meurt cmme la solitude,
  Chante un hymne, chante l'hymen,
  Pour s'en aller comme un amen,
Sous le coup sourd d'Eros dans le geste un peu rude.

Le temple est sacré, mais porte au combat
Le dieu de l'espoir, dieu du célibat,
Dont le dogme est vieux, mais jeune le bât.

XIV

La terre dérive,
L'a dit Wegener,
Elle n'en a l'air,
Sa mouvante rive
Se déplace en mer.

Le continent prive
Le ciel de l'enfer,
Il avance, en clair,
Comme une solive
Se déplace en mer.

Sur le fond déclive,
Il s'arrache, ô fer
De la plaie, hiver
De la raison vive,
Se déplace en mer.

Envoi

Où part notre flair,
Notre foi captive
Se déplace en mer.

XV

Hors de la vague,
Comme un Jonas,
L'homme divague,
Mais c'est un as.

Son poing fertile
A l'univers
Montre sa bile
Et son envers.

Le géant sage,
Sorti d'Assur,
Peuple sa rage
De rêves d'Ur.

Il fuit la grotte
Gravée à l'os,
Où l'ombre trotte
Pour un vieux los.

Oui, loin de l'onde
Et de la mort,
Sa race abonde,
Il n'a pas tort !

Et sa justice
Simple, au ciel nu,
Fait sacrifice
De l'inconnu.

Le dieu superbe
Reçoit un ciel,
Piliers en gerbe
Pour l'irréel.

Il monte un temple
Où l'homme fort
Déjà contemple
L'amour qui dort.

Et l'art s'incline
Pour un espoir,
Ferveur divine
Au vent du soir.

La source baise
Le pied des dieux,
Et tout s'apaise ?
Voile odieux !

Déjà, tout gronde,
Un autre vent
Détruit un monde,
Pour le suivant.

Et l'amertume
Glisse au désert,
Mais dans la brume
L'espoir se sert...

XVI

Et l'orage
Qui s'en va
Calme l'âge.

Qui rêva ?
L'œil aride
Ne trouva.

Rien ne ride
L'avenir
Sans la bride.

Sans finir,
L'ombre immense
Peut honnir.

Une transe
Se pousuit,
Et tout danse.

L'homme suit
La muraille
Qui reluit.

Elle taille
De nouveau
La broussaille.

Soliveau,
Un esclave
Pique un veau.

Et tout lave
Le destin,
Sans enclave !

Le matin
Sonne encore
Le festin.

Mais l'aurore
Voit l'envers
Qu'on décore.

Le revers
Par ruine
Fait desserts.

Qui meurt dîne.

XVII

Allons !
L'on marche,
Huons
Donc l'arche.

L'oiseau,
Colombe,
A l'eau
Ne tombe.

Enfin !
La terre,
Sans fin,
Prospère.

Noé,
Superbe,
De gré
Engerbe.

Quel Verbe !

XVIII

Sans
Rire,
Sire,
Mens !

Dans
L'ire,
Pire
Prends !

Grâce
Lasse
Peu.

Aime
Jeu,
Gemme...

Feu !

XIX

Il tendait le poing, gigantesque
Comme un héros venu du ciel,
Plus fort que Soleil, que le gel,
Que la mer à l'étrange fresque.

Il déracinait l'arbre, ou presque,
Dans un cri sourd, fait d'irréel,
Le sanglier le craignait, tel
Un dieu surgi d'une arabesque.

Quel était son nom ? Sur le roc
Il est gravé d'un coup d'estoc,
Vainqueur d'une atroce légende,

Mais la Mémoire obscurcit l'œil
Du peuple qui court dans la lande,
Seul, le poète en voit le seuil.

O ma lyre, pour toi je scande.

XX

O triste poète amoureux,
Redis-moi ta stance languide,
Redis-moi ta crainte livide,
Près du bosquet au vent peureux ;
La statue où le geste agace,
Comme ta ferveur est de glace,
    Dans la fraîcheur du soir,
Et ta muse au frisson s'apaise,
    Comme baisse l'espoir,
Telle la feuille qui te baise.

Tu n'es plus l'aède barbu
Du guerrier tout fringant d'audace,
Qu'une larme au loin ne menace,
Ni la cavale ou le zébu ;
Non ! blême comme un penseur maigre,
Le cheveu long sous la bise aigre,
    Tu repars en toussant,
Ne sachant pas si ta fin proche
    Dira ton œil lassant,
Ton œil noir d'éternel reproche.

Tu ne peux plus bander le luth,
Que tenait encor ton grand-père,
Mais si cela te désespère,
Tu te prends pour un Belzébuth ;
Alors que l'ombre enfin s'anime,
Tu rêves sur l'étrange cime
De ton espoir déçu,
En vain tu recherches la Muse,
Ton Amour n'a reçu
Que la Mort à tête camuse.

Sache que le printemps fleurit,
Mais pas pour une chansonnette
Cachée ainsi que violette,
Quand la joie au village rit ;
Il faut savoir lever le masque
D'Eros à la pointe fantasque,
Ne pas pleurer, Enfant,
Dans la force, on doit être un homme,
Non pas comme un Infant,
Mais comme un garnement, en somme.

Vois ! ton héros était brutal,
Si ta conquête se dérobe,
Il aurait déchiré sa robe,
Ou bien choisi le fer fatal ;
Ose au moins dire ta colère,
Dire ton regret, qu'exaspère
      Le serment sans valeur,
A quoi bon pleurer d'amertume,
      Sans calmer ta douleur,
Fends plutôt l'espace et la brume.

Fais revivre un air glorieux,
L'élégie est parfois maussade,
Trop de riens font un bouquet fade,
Les grands n'avaient jamais peur, eux,
Ils chantaient après la bataille,
Ils buvaient trop, vaille que vaille,
      Mais avec leur amour,
Car c'était mieux que perdre l'âme,
      Quand se tait le tambour,
Pour un dédain de belle femme.

La coquette avait du regret,
Et prenait soudain pour répondre
La lyre, qu'un ciel d'hypocondre
Ne bénira dans son guéret ;
L'accord divin de la rebelle
En faisait la saveur plus belle,
Devant même Apollon,
Car le bois sacré des neuf Muses,
Qu'ignore ton vallon,
Valait mieux... mais, va !... tu t'amuses !

XXI

Redis encor, loin des petites ruses,
O mon poète, un appel de la mer,
Un souffle pur, loin du rivage amer
Où tu te hais, où parfois tu t'abuses,
Quand l'espoir sent le souffle du steamer.

Quelle amertume à l'horizon lugubre,
Sur le quai blème et noir de puanteur,
Ton trouble fait lourde la pesanteur
De ville neuve au rivage insalubre,
Près du charbon ivre de sa moiteur.

La vieille darse au reflet plus perfide,
Du vieil égout écoule l'œil bruni,
L'oiseau de mer part d'un vol aplani
Par le lointain, dont l'azur moins livide
Rugit, tout glauque au ressac infini.

Mieux que le bac à la trop courte étrave,
Recherche encore où dort le cormoran,
Sur la felouque ou le catamaran,
Car du vieux port il ne reste l'esclave,
Son cri soudain au soleil fait écran.

Pars ! Loin d'ici la fraîcheur de la rime
Te dira l'onde où s'abreuvaient les dieux,
Sur quel Olympe ils buvaient sans adieux,
Mais garde au cœur ce qui toujours t'arrime,
La poésie, et rien n'est odieux !

XXII

Déjà l'horizon menace un nuage,
On aperçoit l'arbre au bord d'océan,
Il vieillit par là depuis plus d'un an,
O frêle bouquet qui ne dit son âge,
Ni son univers maure ou castillan.

Le minaret pointe où se perd la brume,
Ou bien le clocher, fier de sa hauteur,
Il a le hoquet, sonne l'équateur,
Ou le souvenir dont l'ombre s'enrhume,
Mais toujours il dit qui fut créateur.

Il faut qu'on s'incline où le démiurge
A dressé la Croix, le Croissant pointu,
Le poignard retient mieux qu'un impromptu,
Celui qui combat, celui qui s'insurge,
Contre un prince ami du dieu de vertu,
En attendant l'autre, où l'ancien s'expurge.

Mais qu'importe au ciel ! Il n'est de raison
Qui ne vaille un cri pour le sacrifice,
Quand la vie est belle, il n'est d'artifice,
Il n'est de prière, il n'est de prison
Pour gonfler le cœur, pour vaincre le vice,
Pour dire l'amour en toute saison.

Penché sur le sable, un coin de ruine,
Redira l'autel perdu d'un Soleil,
Qui brillait trop rouge au premier éveil,
Dont le sang gicla comme une bruine.

XXIII

Comme un dieu sorti de l'enfer,
Gigantesque, il pétrit l'argile,
S'il a le poing ganté de fer,
Il a pourtant le pied fragile,
Mais il veut bâtir une tour
Dont se dresse au loin le contour,
Pour qu'on attende son retour
En y maintenant le vigile.

La colonne est pour les suppôts
Qui suivent au désert inique
Son large rire et son repos,
Plantés près du bloc ironique
Qui dira des Rois leur torpeur,
Quand lui-même n'avait pas peur,
Le chef aussi haut que vapeur
Au mont, dont la cime est unique.

Est-il Gilgamesh de Sumer,
Moïse, en sa flamme éternelle,
Hercule, vu près de la mer,
Un autre, à colonne rebelle,
Loin du flux de notre horizon,
Pour de l'or ou pour la Toison,
A-t-il vu, près de la maison,
Notre race et sa kyrielle !

Non ! Son œil luit sur l'Ararat,
Sur l'Ida, le Sinaï même,
Les Olympe activent le rat
Qui ronge ce que la gloire aime,
Pour un Régent, pour un carat,
Il ne céderait sa tablette,
Pour nous sortir de l'oubliette,
Il écrit l'Histoire. Poète,
Sois du monde le baccarat !

Ta vision au loin reflète
Notre vue, amant de l'avette !

XXIV

Au-delà du balcon, au-delà de l'orgueil,
Je cherche la souffrance et je cherche l'ultime,
Comme un souvenir triste, en jouissance intime,
Et le néant du jour s'imprime dans mon œil.

Ce néant merveilleux, c'est l'immuable seuil ;
Du temple de ma vie et de sa propre estime,
C'est l'ordre de mon cœur, où l'espérance intime
De créer l'univers pour mon front, cet écueil.

Alors, chaque matin, pour le soleil qui lève
La fleur de mon désir sans connaître de trêve,
J'arrose le chagrin, j'arrose le bonheur,

Avec ma propre histoire, aux rives de Neptune,
Et la vague fomente une futile peur
Pour mon étoile, au loin, quand l'affront l'importune.

XXV

Orage sublime à revoir,
　　Dans ton artifice,
Emporte au loin mon désespoir,
　　Comme un maléfice,
Qui pèse sur moi dans le soir,
　　Car le sacrifice
Du ciel appelle un reposoir.

Déjà, le brouillard qui s'élève
　　Domine les cris,
Tel un rayon qui part en rêve,
　　Et fait quelques ris,
Pour annoncer enfin la trêve,
　　Où tout devient gris,
Alors, je m'assois sur la grève.

C'est pourquoi je revois l'Amour,
　　L'ancienne compagne,
Le printemps, qui fait plus d'un tour

Dans une campagne
Apaisante quand meurt le jour,
Pays de cocagne,
Loin du refrain sourd du tambour.

Il est, certes, de plus beau songe
Que son propre soin,
Mais le souvenir est mensonge
Dans son petit coin,
Tandis que parfois tout se ronge
Au souffle plus loin,
Et le tout dans l'oubli se plonge.

Orage, en reflétant un dieu,
Tu mets en vitesse
L'accent sur notre fol adieu,
Notre petitesse,
Tu nous prends notre ciel trop bleu,
Mais cette rudesse
Fait penser. Béni soit ce lieu !

Quand fuit l'amertume,
C'est l'avenir qui monte en l'air,

Pour qu'enfin l'on hume,
Un espoir qui se veut plus clair,
Le rire s'exhume
Comme un morceau de notre chair,
Foulant le bitume.

La ville a raison
De ne pas voir qui l'on enterre,
Qui sort de prison,
Son antre est le cercueil de verre
De chaque saison,
Et toujours il faut que l'on erre
Comme salaison.

Aigle, serre-moi dans ta serre !

XXVI

Parti vainqueur du dieu de l'inconnu,
J'ai vu l'amour et j'ai vu la rancune,
J'ai vu l'horreur, au clairon de la lune,
Saluer l'ombre, où le cœur est tout nu.

Sur le néant, au rictus reconnu,
J'ai ri de moi, comme on rit à la brune,
Parti vainqueur du dieu de l'inconnu,
J'ai vu l'amour et j'ai vu la rancune.

Et c'est pourquoi, dans mon gage tenu,
J'ai mis l'espoir avecque l'infortune,
Pour gonfler l'onde où ma nef s'importune,
Et j'étais beau comme un futur Neptune
Parti vainqueur du dieu de l'inconnu.

J'ai vu l'amour, et j'ai vu la rancune.

XXVII

Comme la fleur au printemps
A vieilli le doux visage,
Sous la poussière des ans
De mon tendre paysage,
J'ai fermé l'œil à demi,
Car je recherche un peu l'ombre
Et j'en suis une parmi
Le soir, qui se fait plus sombre,
Mais j'aime toujours le vent
Sur le quai de ville neuve,
Où l'appel ne siffle avant
Que pointe encore une épreuve,
C'est pourquoi le pavé gras
N'aime pas que l'on renifle,
Il fait glisser sur le ras
Des seuils, où l'ombre persifle,
Et je tente le destin
Pour monter ma voile encore,
Pour qu'un ouragan décore
Ma hune qui veut éclore
Au premier soleil matin.

XXVIII

Dois-je remettre mon panache,
Pour être le conquistador,
J'avais bien terminé ma tâche,
Dois-je remettre mon panache ?
Je suis sensible au vent que fâche
Le ciel, au rayon pourpre et d'or,
Dois-je remettre mon panache,
Pour être le conquistador ?

Le cheval m'attend, et la selle
Est mise, le caparaçon
Brille, quand reluit une ocelle,
Le cheval m'attend, et la selle !
Comme aéronaute en nacelle,
Eole me donne leçon,
Le cheval m'attend, et la selle
Est mise ! Le caparaçon ?

Allons ! Que l'on ne tergiverse,
Il faut vivre, c'est un combat,
Arrière, soupente et traverse,
Allons ! Que l'on ne tergiverse !
Gens d'arme, abaissez-moi la herse,
Le donjon fait le célibat,
Allons ! Que l'on ne tergiverse,
Il faut vivre, c'est un combat !

XXIX

J'aimais certes la solitude,
  Douce comme un linceul,
Mais elle est compagne un peu prude,
  Et laisse un peu trop seul,
Quand le sourd remords se chagrine,
Ou que la pluie au loin serine.

●

C'est pourquoi j'ai pris l'habitude,
  Comme faisait l'aïeul,
De courir au loin : c'est plus rude,
  Et c'est mieux que tilleul
Bu quand l'ombre au lit se burine,
Ou que la pluie au loin serine.

●

Certe, la femme aime l'étude,
  Le regard d'épagneul
Qu'on lance. A Gisèle, à Gertrude,
  Je laisse le glaïeul,
La rose, quand on tambourine,
Ou que la pluie au loin serine.

●

Envoi

Homme sois le filleul,
De l'action, si t'endoctrine,
Ou que la pluie au loin serine.

XXX

Quand au loin je m'en vais parcourir le destin,
Je cherche la raison, je cherche l'aventure,
Aux abois de la vie, aux abois du tocsin,
Et c'est le souvenir qui fait la devanture
Pour l'âge qui me reste, à rêver de héros,
Que le passé, parfois, a broyé de ses crocs,
Où qui les ont rentrés, pour mieux servir leurs rots,
Vieillard qui se répète, à la plume craintive,
Doux rêveur qui s'en va, d'un songe magistral,
Réformer de ce monde un furtif idéal,
Regretter le beau temps de climat plus brutal,
Mais moi, je pars encor, car l'automne est naïve.

Oui, passant tout blanchi qui pense à l'autre rive,
Je n'ai pas de Charon la pièce qu'on salive,
Pour payer le passage au ténébreux matin,
Ma bouche n'aura pas le prix de sa dérive
Entre les dents, pointant au squelette déclive,
Car je n'ai pas gagné de quoi faire festin

Avec les immortels, en l'ultime scrutin
Qui menace la mort en un mythe enfantin,
Et c'est pourquoi mon cœur de glace s'enjolive,
Car Mémoire n'aura rien pour moi du butin,
L'Erèbe ténébreux m'efface comme tain
Que boursoufle le temps, quand plus rien ne l'active.

Mais je suis le reflet du passé merveilleux,
Je suis ce qui demeure au passé quand je l'aime,
Ce qui subsiste encor de ce qu'ont vu mes yeux,
Plus qu'un autre témoin, par ce qu'Amour je sème,
Et ma stance s'envole à l'horizon maudit,
Mon regret superflu, tel bourreau le pendit
Aux rives du désert, qui ne l'ont pas prédit,
Onc n'ont vu le destin du néant qui les ronge,
Ores c'est pourtant vrai, jà le savent en cor,
Ne veulent accepter que change le décor,
Ces rires dans le noir, qui brillent comme l'or,
S'effacent comme meurt aussi la fausse oronge.

XXXI

Le dieu que porte l'homme est une vérité,
S'il est, comme en Socrate, une recherche utile,
S'il n'est pas le dieu vrai, mais science subtile
Vers la perfection, dans ce monde alité.

Car Dieu n'existe pas, il est alimenté
Par la crainte suprême où l'esprit se mutile,
Rien n'est fini pourtant, et l'autel qui rutile,
Pour dépasser le dogme est toujours cimenté.

Tout, dans le Mouvement, veut que la tolérance,
Avec son Doute, active au loin notre espérance,
Pour que l'Esprit, superbe, ait mieux que le Sommet,

Le Travail, qui reflète une raison de vivre,
Qui donne un sens au ciel où le hasard nous met,
Puisque, dans le Moment, l'Eternité doit suivre.

XXXII

Plus ne m'orront la tendresse et l'Amour
Au beau jardin, chaste et parfois timide,
Ou bien pervers de tendresse languide,
Car j'ai crevé de mon trait leur tambour.

Je n'étais dieu, demi-dieu ni pandour,
Je savais bien retrousser la chlamyde,
Dans le soir gris, où le flambeau livide
Mouche sa flamme au cri du troubadour.

Mais j'ai perdu mon ombre au pied d'Eole,
Echo perdit sa voix d'une autre idole,
On n'entend plus l'appel de la syrinx,

J'ai beau prêter l'oreille. A ma requête
Issante adhonc de naissance de sphinx,
Rien ne surprend le désert qui n'enquête,

Pas de vertus, d'amoureuses discrètes,
Icelles n'ont plus de bras pour mes fêtes,
Tel lycaon, ne suis au bois qu'un lynx.

XXXIII

Plus ne suis voyant, plus n'ai de larynx,
      Pour m'écrier encore,
      En devinant l'aurore,
Que le gromphe est beau, tout comme phorminx,
      Quand le rose décore
L'appel qui déchante, au rugueux pharinx
Qui s'enrhume enfin, loin de la syrinx
      Emmi toute pléthore !

Moults sont les désirs, moults sont les accores,
      Pléonasmes sont morts
      Aux grands vents des déports,
Qui balayent tout, comme des pécores,
      Syllepse est le vrai mors
Que ronge le Verbe, et les madrépores
Frangent sans regret, comme les claymores,
      La peau des vieux remords.

Eh ! plus de soupirs, ah ! plus d'amertume,
Ou sinon l'âpre sel,
Dont la mer est recel,
Dans le marais nage, où le soleil hume
Epave ou bien missel,
Lit-cage englouti dans quelque coutume,
Car le marais gât verdit son costume
Au flux universel.

Et sous le ressac se bat la mangrove,
L'arbre boit la grand-mer,
La terre, avec l'amer
Qui déjà sort d'eau, quand le serpent love
Son corps trop lourd, amer
D'être le rebut, quand Laure de Nove
A Pétrarque plaît ! Jamais on innove,
D'Indes à Saint-Omer !

Oui, c'est jeu, quinquenove,
De l'« E pur si muove »,
A vouloir trancher, Romain ou grand Khmer.

XXXIV

Oui, je n'ai pas parlé de Jeanne la Pucelle
        Qui voulait l'Anglais bouter hors,
Ma langue archaïsante est pourtant bien icelle
        Même que l'on parlait alors,
Avec plus de patine au fil du temps qui coule,
        Et moins de beauté dans le cœur,
Mais c'est même langage, et le printemps roucoule
        Comme passait cet âge en chœur,
Maison après maison, la guerre mondiale
        A rongé bien des chroniqueurs,
Ma plume, qui se tasse, est une moniale
        Ignorant s'il est des liqueurs,
Elle trempe au lointain, avec mon amertume,
        Au premier marais de Sumer,
Nous sommes une fin de race dans la brume,
        Qui regarde où finit la mer,
Encor beau que l'on sache un peu mieux le déluge,
        Face à l'oubli de notre enfer,
Demain, une autre langue aura pris notre luge,

Pour la vallée où meurt le fer,
Et nous ne serons plus que bêtes curieuses
Avec nos mots, tous incompris,
Comme les pharaons sur leurs rives heureuses,
Mais que le désert a repris.

XXXV

Et le sable a rongé bien des rêves,
Océan de nos sanglots meurtris,
Le vent crisse et fait les nuits trop brèves.

Que de tours ne sont plus que débris,
De donjons où le soir, seul, ulule
Le passé, qui se meurt en un ris

Un beau jour, tout comme libellule,
Nous irons où tombe tout espoir,
Le troupeau, qui tant tintinabule.

Mais cela fait tout notre au-revoir,
Sa valeur, c'est d'être la seconde
Où le temps mesure son avoir.

Pour l'humain, qu'aucun dieu ne seconde,
Tout le ciel se devine aussitôt,
Tout ce crée, et toujours se féconde.

Pour survivre, il n'est de paletot,
Si ce n'est celui de démiurge,
Pour ce faire on peut mourir tantôt.

Seul le cuistre à cette loi s'insurge,
Tout son âge est vécu par plaisir,
Il n'a pas l'âme d'un dramaturge.

Le vrai chef est fier s'il va mourir,
La souffrance est d'abord sa victoire,
Il domine une chair pour agir.

C'est la vraie et c'est la seule gloire,
La raison qui vaut tout le bonheur,
Tout le reste est une longue histoire.

Quand on pense, on n'a plus jamais peur.

XXXVI

Résonnez, salpinx, sonnez, lourdes trompettes,
Pour tous les Hamlet, du monde souvenir
De ce qui ne fut, douve, que tu n'arrêtes
Au remous sournois, où toujours va jaunir
Le regret qui mord la trop vieille chronique
De l'ancien aède à l'accent nostalgique,
Chantez, olifant, entonnez la chanson
De geste, qui passe au souffle sans saison,
Car son cri plaintif relève le courage
Du jeune soldat, et du trop vieux grison,
Ceux qui cherchent tant le sillon de leur âge.

●

J'ai vu le destin, qui compte tant fleurettes,
Oublier le temps, pour quérir l'avenir,
Ce ne sont pas là les meilleures emplettes,
Mais il faut chercher, s'il se peut sans honnir,
A saisir la vie, où l'audace est cynique,
Et vaut mieux que rien, à l'espoir ironique,
C'est pourquoi l'amour désire une maison

Où poser le pied, le cœur à l'unisson,
Afin d'y cacher ce qui reste de rage
Aux hommes perclus sans plus de garnison,
Ceux qui cherchent tant le sillon de leur âge.

●

Que de mots couverts, de belles devinettes,
Pour chanter le vice, et ne pas se haïr
D'avoir retroussé, soudard, quelques fillettes,
Qui ne voulaient pas, ou ne voulaient finir,
Tout cela fait bien, car la mémoire abdique
La honte du lieu, puis du geste sadique,
Pour garder l'effort, tout lauré de raison,
Au pinacle admis, comme une floraison
De forte sagesse, où dominent l'orage,
Les chefs, qui jamais n'orront de pamoison,
Ceux qui cherchent tant le sillon de leur âge.

●

Il est d'autres dieux, pour honorer les fêtes,
Que ceux de la force, et que ceux du désir,
Le joyeux Bacchus, en ses mines replètes,
N'éclaire pas tant, s'il faut ainsi gésir,

Qu'Apollon sublime, au front moins despotique
Que celui, hideux, du tyran domestique
Qui ne fait jamais que donner le frisson,
Sans penser un peu, sans être le maçon
Du temple secret, ultime et fier mirage
De ceux qui font plus que faucher le gazon,
Ceux qui cherchent tant le sillon de leur âge.

●

Les pensers derniers feront nôtres, charrettes,
Cortèges maudits, qui prétendaient tenir
Le monde à genoux, sous de belles recettes,
En nous écartant du pouvoir à venir,
Nous dominerons, d'un geste sans réplique,
L'idéal vaincu de la vieille mimique,
Si nous sommes bien penseurs sans oraison,
Discrets à l'envi quand monte trahison
Au sommet du jour, en un triste parage,
Où ne vont jamais, pour tondre la Toison,
Ceux qui cherchent tant le sillon de leur âge.

●

Envoi

Prince de l'esprit, du cosmos l'échanson,
Homme, porte au cœur enfin ton vrai blason,
Respect de la femme, et regret de l'ouvrage
Que montent aux cieux, pour aimer sans prison
Ceux qui cherchent tant le sillon de leur âge.

TABLE DES MATIERES

A C H E V E   D'IMPRIMER
LE   15   AVRIL   1977
SUR   LES   PRESSES   DE
L'IMPRIMERIE CH. CORLET
14110 CONDE-SUR-NOIREAU
———— FRANCE ————

Dépôt légal : 1977/2ᵉ